CARTAS DE UM AMIGO

- VOLUME 4 -

Professora Rute Mendonça
Pregadora Ecumênica da Religião de Deus, do Cristo e do Espírito Santo

William Luz
Coordenação e desenhos

Texto inspirado nas explicações do Irmão Paiva Netto sobre o Apocalipse do Divino Mestre pela Super Rede Boa Vontade de Comunicação.

Soldadinhos de Deus LBV

Boa Vontade KIDS

São Paulo/SP — Brasil — 2025

Editora Elevação

Autora: Rute Mendonça
Coordenação e desenhos: William Luz
Produção editorial, desenhos e revisão: Equipe Soldadinhos de Deus
Impressão: Mundial Gráfica

Depósito legal na Biblioteca Nacional conforme
Decreto nº 1.825, de 20 de dezembro de 1907.

Dados Internacionais de Catalogação na Publicação (CIP)

M539c

Mendonça, Rute

Cartas de um amigo — 1ª ed. — São Paulo : Editora Elevação, 2025, v.4. (Coleção Ecumênica Apocalipse de Jesus para as crianças). Ilustração William Luz. 44. p. : 24 x 24 cm.

ISBN 978-65-85860-11-6

1. **Quarta Revelação**. 2. Jesus Cristo. 3. Espiritualidade. 4. Apocalipse de Jesus. 5. Evangelho de Jesus. 6. Paiva Netto, José de. I. Luz, William. II. Título

CDD-228.07

Índice para catálogo sistemático:
1. Apocalipse : Comentários 228.07

Rua Doraci, 2-A, sala 103 – Bom Retiro
São Paulo/SP – CEP 01134-050

ELEVAÇÃO

www.elevacao.com.br

Vamos ler com os nossos pais o

Tratado do Novo Mandamento de Jesus,

reunido por Paiva Netto, consoante o Evangelho do Cristo de Deus, segundo João, 13:34 e 35; e 15:7, 8, 10 a 17 e 9.

Ensinou Jesus, o Cristo Ecumênico, o Divino Estadista★: "13:34 *Novo Mandamento vos dou: amai-vos como Eu vos amei.* 13:35 *Somente assim podereis ser reconhecidos como meus discípulos, se tiverdes o mesmo Amor uns pelos outros.*

15:7 *Se permanecerdes em mim e as minhas palavras em vós permanecerem, pedi o que quiserdes, e vos será concedido.* 15:8 *A glória de meu Pai está em que deis muito fruto; e assim sereis meus discípulos.*

15:10 *Se guardardes os meus mandamentos, permanecereis no meu Amor; assim como tenho guardado os mandamentos de meu Pai e permaneço no Seu Amor.*

15:11 *Tenho-vos dito estas coisas a fim de que a minha alegria esteja em vós e a vossa alegria seja completa.*

15:12 *O meu Mandamento é este: que vos ameis como Eu vos tenho amado.* 15:13 *Não há maior Amor do que doar a própria vida pelos seus*

amigos. 15:14 *E vós sereis meus amigos se fizerdes o que Eu vos mando.* 15:17 *E Eu vos mando isto: amai-vos como Eu vos amei.*

15:15 *Já não mais vos chamo servos, porque o servo não sabe o que faz o seu senhor; mas tenho-vos chamado amigos, porque tudo quanto aprendi com meu Pai vos tenho dado a conhecer.*

15:16 *Não fostes vós que me escolhestes; pelo contrário, fui Eu que vos escolhi e vos designei para que vades e deis bons frutos, de modo que o vosso fruto permaneça, a fim de que tudo quanto pedirdes ao Pai em meu nome Ele vos conceda.*

15:17 *E isto Eu vos mando: que vos ameis como Eu vos tenho amado.* 15:9 *Porquanto, da mesma forma como o Pai me ama, Eu também vos amo. Permanecei no meu Amor".*

★ **Jesus, o Cristo Ecumênico, o Divino Estadista** — Leia sobre o assunto na página 44.

Jesus
Ilustração que representa Jesus, o Cristo Ecumênico, o Divino Estadista.

Vovó Lola
Gosta de contar histórias e aproveitar o tempo com seus netos. Ela é muito paciente e extremamente bondosa.

Vítor — 12 anos
Gosta de ler e estudar assuntos diversos, além de querer sempre aprender.

Luizinha — 8 anos
É muito alegre, divertida e sorridente. Seu lazer preferido é brincar.

Naomi
Gentil e atenciosa, Naomi gosta muito de livros e música.

João Evangelista
Ilustração que retrata João, o Evangelista e Profeta, Discípulo de Jesus.

Sarita — 9 anos
Curiosa e inteligente, ela adora conhecer novos lugares e faz amigos por onde passa.

Juju — 10 anos
Cheia de energia, gosta mesmo é de explorar e aprender novas coisas e também passar tempo com os amigos.

Yuri — 9 anos
Extrovertido, ama conversar e fazer novos amigos. Ele é muito alto-astral.

Hayato
Trabalhador e humilde, é extremamente dedicado e responsável.

Jesus![1]

Paiva Netto

Na Terra, o Cristo é o Senhor!
Estará comigo aonde eu for.
Desço ao mar, subo aos Céus,
Venço o ódio e os labéus[2].
Canto à Luz,
Grito forte: Jesus!

Céus e Terra sempre existirão.
E a Verdade e o Amor governarão.
E Deus ditará nosso destino, então,
Com a Fraternidade e a Glória
Do Seu Coração.

[1] ***Jesus!*** — Em 26 de novembro de 1994, durante viagem pela autoestrada do Porto a Lisboa, em Portugal, sob forte inspiração dos Amigos Espirituais, Paiva Netto elevou ao coração do Divino Mestre esta prece, que também é uma das mais belas composições interpretadas pelo Coral Ecumênico Boa Vontade. Baixe o aplicativo **Boa Vontade Play** em seu dispositivo móvel e ouça a música: www.boavontade.com/play

[2] **Labéus** — Aquilo que marca de forma ruim a vida de alguém.

SETE HORAS DA NOITE

Já aprendemos que Apocalipse é uma palavra grega que significa Revelação, e dona Lola está falando para os seus netinhos sobre o grande Amor de Deus e de Jesus por todos nós.

As crianças estão de férias e felizes na casa da vovó. Vamos, então, acompanhar mais um pouco de seus aprendizados.

Depois de mais um dia maravilhoso, cheio de alegria e muita diversão, todos estão na sala da casa de dona Lola, comendo pipoca. Que delícia!

Neste momento, o relógio marca sete horas da noite. E os pais do Yuri também chegam para participar do alegre encontro.

— Sejam bem-vindos, Hayato e Naomi! — a vovó os cumprimenta já contando uma novidade — Vejam que interessante: hoje, vamos começar a entender as Cartas de Jesus para as **Sete** Igrejas da Ásia. Agora são **sete** horas da noite e tenho **sete** pessoas queridas aqui na minha casa. Isso não é curioso?

Luizinha logo passa a conferir o que a vovó diz e vai contando, um por um, até concluir. Todos ficam surpresos com a interessante coincidência, e Vítor se apressa em afirmar:

— Eu me lembro que, na hora que João Evangelista viu Jesus Glorificado, o Mestre tinha na mão direita **sete** estrelas e estava no meio de **sete** candeeiros de ouro.

— Eu também me recordo disso. E era para João escrever tudo o que estava vendo e ouvindo para depois mandar para as **Sete** Igrejas da Ásia — comenta Juju.

— E qual vai ser a parte de hoje, vovó?

— Hoje, Sarita, vocês vão me ajudar a continuar a história.

— Mas nós não sabemos de nada! Você sabe, Yuri?

— Eu? Não sei, não, Luizinha! Como vou continuar uma história que estou ouvindo pela primeira vez?

— Fiquem tranquilas, crianças, eu vou explicar: o **7** é considerado o número da perfeição, e, no Apocalipse de Jesus, ele aparece várias vezes. Agora, vou entregar a cada um de vocês um cartãozinho com um número, mas não mostrem o outro lado do cartão até que eu peça, combinado?

— Combinado, vovó! Gosto muito desse tipo de brincadeira!

— Ótimo, Juju, mas, primeiro, quero saber quem aqui já recebeu uma carta de algum parente ou amigo?

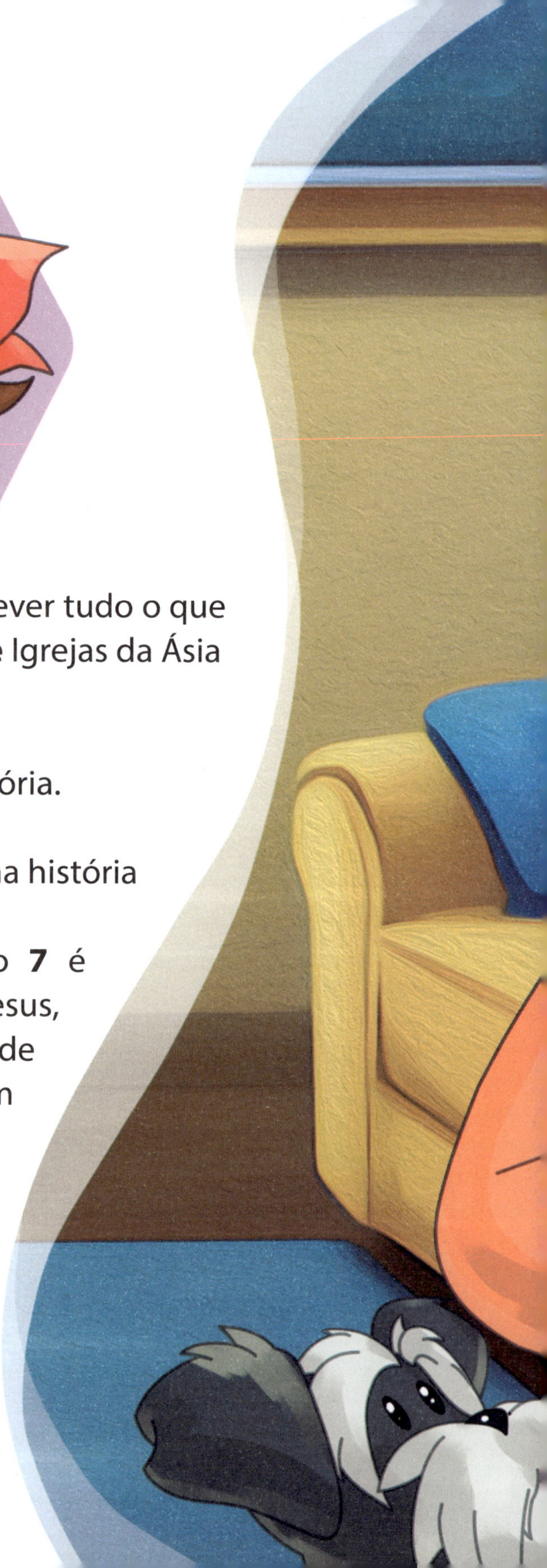

— Eu já recebi uma cartinha da minha avó que mora no Japão!

— E o que a vovó dizia, Yuri? — dona Lola pede detalhes.

— Falava que estava com saudades, que gosta muito de mim e que, um dia, virá visitar a gente. Mas pediu também que eu fique sempre atento na escola para não repetir o ano!

— E o que você achou disso?

— Achei legal, porque ela disse que me ama e quer que eu seja feliz.

— Viram só? Essa carta que a vovó do Yuri mandou para ele fez com que seu coração ficasse cheio de alegria, pois ela o ama e só quer a sua felicidade.

— Eu falo com a senhora pelo celular, não é, vovó?!

— Esse também é um meio de comunicação, Luizinha — esclarece dona Lola.

— Mas por que a senhora se lembrou de carta agora?

— Eu acho que tem a ver com a parte da história de hoje, Sarita.

— Sim, Vítor. Contarei para vocês sobre as cartas que Jesus mandou que João escrevesse às Sete Igrejas da Ásia. Vamos aos cartõezinhos?

— Só se for agora, né, vovó?! — Luizinha se apressa em responder.

— Prestem atenção, cada um vai ler um ou dois pontos da mensagem de Jesus a cada Igreja da Ásia, que representa o que mesmo, meus queridos?

— Toda a humanidade! — respondem.

— Muito bem! Em cada carta, Jesus elogia a parte boa que as pessoas têm no coração e orienta sobre o que precisam melhorar.

— Assim como a vovó do Yuri falou para ele sobre a escola!

— Exatamente isso, Sarita. Então, vamos lá. Um de cada vez, conforme a sequência dos números, vai virar o cartãozinho, para que todos vejam para qual comunidade é a mensagem, e, em seguida, lerá em voz alta o que nele está escrito, combinado?

Se você quiser fazer esta atividade em casa junto com a história, vá até a página 39 para recortar os cartões.

Novas revelações

— Quem está com o número 1 que se apresente.

Sarita dá um passo à frente, mostra o número escrito no seu cartão e lê a mensagem:

CARTA DE JESUS À IGREJA EM ÉFESO
(APOCALIPSE, 2:1 A 7)
JESUS AFIRMA QUE A COMUNIDADE DE ÉFESO TEM PERSEVERANÇA E PEDE QUE ELA NÃO ABANDONE A PRIMEIRA CARIDADE.

Após a leitura do cartão, a vovó pergunta com curiosidade:

— Sarita, você pode compartilhar um exemplo de algum dia que perseverou, quer dizer, colocou em prática os ensinamentos de Jesus?

Após um breve momento refletindo, Sarita responde:

— Eu me lembro do meu primeiro dia de aula na nova escola! Estava um pouco assustada e triste, porque não sabia como seria recebida pelos novos colegas. Daí me lembrei das lições de Jesus e que, se eu fizesse a minha parte, tudo acabaria bem! Então, perseverei no que aprendi, fiz novas amizades e deu tudo certo!

— Que bom que você não desistiu, perseverou, porque um grande ensinamento que o Mestre Jesus nos deixou é sobre amarmos e respeitarmos uns aos outros. Parabéns!

— Vovó, estou aqui pensando: sei que Caridade é ajudar as pessoas... Mas por que Jesus fala Primeira Caridade? A segunda, a terceira, a quarta não seriam a mesma coisa?

— Interessante pergunta, Juju! A Primeira Caridade que o Divino Mestre destaca é sobre as primeiras coisas que a gente aprende, sente, precisa e vivencia e que não podem ser esquecidas. Vamos fazer uma atividade que vai nos ajudar a entender melhor esse assunto tão importante.

CADA UM DE VOCÊS RECEBERÁ UMA SEMENTINHA IMAGINÁRIA E TERÁ O DESAFIO DE FAZÊ-LA CRESCER. DO QUE ELA PRECISA PARA SE TORNAR UMA LINDA PLANTA? DESENHE OU ESCREVA OS ELEMENTOS ESSENCIAIS QUE NÃO PODEM SER ESQUECIDOS. USE SUA CRIATIVIDADE!

Depois de todos realizarem a atividade, a vovó conclui:

— Perceberam? Assim como a semente precisa de terra, de água, de luz e de cuidados para crescer forte, nós também devemos nos lembrar sempre daquilo que é mais importante para o nosso crescimento: estudar e viver os ensinamentos de Jesus, que representam essa Primeira Caridade!

— Vovó, a senhora sabe de tudo, hein?! — fala Luizinha com admiração, provocando o riso de todos.

Em seguida, por ordem numérica, Juju apresenta seu cartãozinho e lê:

CARTA DE JESUS À IGREJA EM ESMIRNA

(APOCALIPSE, 2:8 A 11)

JESUS PEDE ÀQUELA COMUNIDADE QUE NÃO TEMA O SOFRIMENTO E PROMETE: "SÊ FIEL ATÉ À MORTE, E EU TE DAREI A COROA DA VIDA".

— É ruim a gente ter medo de alguma coisa?

— Observe, Juju, que Jesus conhece o que se passa dentro do nosso coração e sempre está ao nosso lado para nos proteger. Nunca estamos sozinhos! Quando Ele afirma: *"Não temas as coisas que tens de sofrer"*, não é que não podemos ter medo, mas é para nos lembrarmos de que Ele está sempre conosco, principalmente nos momentos mais difíceis.

— E, se a gente vencer, vai receber uma coroa?

— Quando Jesus fala em coroa, Luizinha, não é como a dos reis de antigamente. Aqui, Ele está nos prometendo que, se fizermos o Bem diante de qualquer situação, receberemos a coroa da vida, que é a Proteção de Deus, a presença Dele no nosso coração.

— E essa coroa ninguém pode tirar de nós, porque foi uma conquista nossa, certo, vovó?

— Isso mesmo, Vítor! Por isso, Jesus pede a nossa perseverança sem desanimar jamais! E você, Juju, já enfrentou algum desafio?

— Sim, vovó! Esses dias, briguei com uma amiga e fico pensando se ela vai me perdoar e se a nossa amizade vai continuar.

— Juju, seu exemplo mostra para nós a importância de fazer o que é certo. Se a coroa da vida é o Poder do Cristo em nós, que Ele dará aos que seguirem Seus ensinamentos, então precisamos ser sinceros uns com os outros. Por isso, procure sua amiga, converse com ela. Com certeza, continuarão sendo grandes amigas.

— Obrigada, vovó! A senhora me deixou feliz agora!

— Precisamos ter a humildade de pedir desculpas quando erramos — esclarece dona Lola, já passando a palavra para a Luizinha ler o cartão número três.

UMA PEDRINHA BRANCA

CARTA DE JESUS À IGREJA EM PÉRGAMO

(APOCALIPSE, 2:12 A 17)

O CRISTO PEDE QUE AS PESSOAS SE ARREPENDAM DAS MÁS OBRAS. DIZ JESUS: "AO VENCEDOR EU DAREI DO MANÁ ESCONDIDO, BEM COMO UMA PEDRINHA BRANCA, E SOBRE ELA ESCRITO UM NOME NOVO, QUE NINGUÉM CONHECE, EXCETO AQUELE QUE O RECEBE".

— O que quer dizer isso, vovó? — Luizinha quer saber.

— Minha querida, maná, aqui, é a representação de um alimento que vem de Jesus para nós, são os Seus ensinamentos. Por isso que, quando fazemos o Bem, nos sentimos fortes e felizes.

— Como assim? Alguma coisa que a gente come e alimenta nosso coração? — questiona Sarita.

— Por exemplo, se alguém fizer um elogio para uma pessoa dizendo que ela é simpática, bondosa, ou que ela é inteligente, educada, como ficará o coração dela? Fortalecido ou triste?

— Fortalecido! Um dia — Yuri comenta —, quando parei de brincar com meus brinquedos, guardei todos na caixa e coloquei no armário. A mamãe viu, me abraçou e deu parabéns, porque fiz a coisa certa. Fiquei tão feliz que nunca mais deixo brinquedos espalhados.

— Por que maná escondido se é uma coisa boa?

— Na verdade, Luizinha, não está escondido, acontece que nem todo mundo percebe o real valor desse alimento. Jesus está nos alertando para não nos distrairmos e sermos levados a atitudes erradas, achando que está tudo bem. Como no caso do Yuri, ele escolheu fazer a parte dele, agindo certo.

— Entendi! E a pedrinha branca?

— Luizinha, quando alguém vai fazer uma pesquisa no celular, não precisa de uma senha?

— Sim, e só a gente pode saber qual é.

— Pois a pedrinha branca é como se fosse uma senha; é uma conquista de cada um merecer estar ao lado de Jesus. Por esse motivo, Ele fala do arrependimento e da correção das atitudes ruins. Podemos dizer que, no Apocalipse, a senha para sermos vencedores é o entendimento e a prática do Novo Mandamento do Cristo.

— É a ordem de Jesus: *"Amai-vos uns aos outros como Eu vos amei"*!*

— Sim, Luizinha! E, quando nos amamos e respeitamos, recebemos do Cristo essa pedrinha branca, que é o símbolo da Sua Amizade por todos nós, para que a felicidade fique para sempre no nosso coração!

— Por isso que Jesus diz *"ao vencedor"*. Que legal, vovó! Serei sempre uma vencedora!

— Que assim seja, Luizinha! Que todos aqui pensem assim também!

* Disse Jesus, em Seu Evangelho, segundo João, 13:34 e 35: *"Amai-vos como Eu vos amei. Somente assim podereis ser reconhecidos como meus discípulos".*

A DEUS NINGUÉM ENGANA

Yuri dá um passo para a frente. É a sua vez de ler o cartãozinho:

CARTA DE JESUS À IGREJA EM TIATIRA
(APOCALIPSE, 2:18 A 29)
JESUS NOS ENSINA A NÃO SEGUIR O QUE ESTÁ ERRADO.
DIZ O CRISTO: "CONHEÇO AS TUAS OBRAS, O TEU AMOR, A TUA FÉ (...)".

— Bom, crianças, essa mensagem de Jesus é para a Igreja de Tiatira, e Ele aqui, mais uma vez, diz que conhece as nossas obras e ainda o nosso amor e a nossa fé. O que são as **nossas obras**, Yuri?

— São as ações que a gente faz, boas ou ruins.

— Isso mesmo, precisamos ficar atentos, porque Deus sabe de tudo que a gente pensa e faz. Alguém pode imaginar: "Eu sei que isso está errado, mas vou fazer pois ninguém está vendo". Mas Jesus sabe de tudo, lembram-se?! Além disso, nessa carta, Ele afirma também que *"sonda rins e corações"*, ou seja, Ele conhece o que se passa dentro de nós, no nosso pensamento.

— Por isso que a gente não pode fazer coisas erradas e achar que está enganando a mamãe, o papai, os professores, ou até mesmo a Deus!

— Com certeza, Vítor! E, na questão da fé, tem um destaque bem importante aí.

— Fé é a gente confiar em Deus, não é, dona Lola?

— Sim, Yuri, mas tem que ser **Fé Realizante** — e, percebendo o olhar de dúvida das crianças, vai logo completando. — Precisamos ter Fé sincera em Deus, quer dizer, confiar mesmo no Seu Poder de nos ajudar, mas não podemos ficar só à espera de que tudo caia do céu.

— Nossa! É possível que as coisas caiam do céu, vovó? — pergunta Luizinha um tanto perplexa. — Eu quero muito um tênis que vi na loja. Já até imagino como seria vê-lo caindo do céu.

— Claro que as coisas não caem do céu, Luizinha — fala Sarita com carinho. — Acho que é assim: por exemplo, se eu quiser ser aprovada na escola, preciso me esforçar. Não posso esperar que meus colegas façam por mim. A conquista tem que ser minha, sem prejudicar ninguém, tá certo, vovó?

— Certíssima! Então, aqui na Carta de Jesus à Igreja em Tiatira, vai ficar a lição de que devemos ter Fé Realizante em Deus para superar tanto os desafios da escola quanto os do nosso dia a dia, sem desanimar jamais!

— Entendi, dona Lola. Vou fazer sempre o Bem para Deus ficar feliz comigo.

— Isso mesmo Yuri. Bom, vamos continuar. Quem vai ler agora?

—Eu! — responde Vítor, desvirando seu cartãozinho e lendo:

CARTA DE JESUS À IGREJA EM SARDES
(APOCALIPSE, 3:1 A 6)
DIZ O CRISTO: "TENS A REPUTAÇÃO DE QUE ESTÁS VIVO; ENTRETANTO, ESTÁS MORTO. (...) SÊ VIGILANTE...".

E a vovó explica:

— Jesus quer que fiquemos vigilantes, atentos, sem desanimar de fazer o Bem. Alguma vez você desanimou de fazer o Bem, Vítor?

— Ah, uma vez eu derrubei sem querer uma pilha de livros na biblioteca da escola, e meu amigo não me ajudou a recolher. Aí, num outro dia, quando ele pediu a minha ajuda para carregar uns livros, fingi que nem ouvi.

— Sério? Não aproveitou pra agir diferente dele naquela situação? Mas você sempre diz que não se preocupa com o que os outros fazem, e sim com o que é certo — questiona dona Lola.

— Pois é, desisti de fazer o Bem e fiz a ele o mesmo que fez comigo. Só que depois pensei melhor, voltei e o ajudei — conclui Vítor, trazendo alívio ao coração da vovó.

— Ainda bem, porque, na Carta de Jesus para Sardes, o Mestre diz que quem não pratica o Bem, e mesmo assim quer ter a fama de que é uma pessoa boa, é como se estivesse morto diante de Deus.

— Morto? — pergunta Vítor, um tanto assustado.

— Morto aqui, Vítor, quer dizer sem colocar em prática as Leis de Deus, porque a pessoa deixa de fazer aquilo que sabe que é certo e não cumpre com as responsabilidades.

— É uma pessoa que só fala e não faz.

— Verdade, Sarita! O Amor que Jesus nos ensinou traz Paz, Harmonia e nos faz sentir vivos, com a consciência tranquila.

Sem perder tempo, dona Lola pede que o próximo apresente seu cartãozinho
— Número seis, quem vai ler?
— Eu lerei — responde Hayato.

PORTA ABERTA

CARTA DE JESUS À IGREJA EM FILADÉLFIA

(APOCALIPSE, 3:7 A 13)

DIZ JESUS: "EIS QUE TENHO POSTO DIANTE DE TI UMA PORTA ABERTA, A QUAL NINGUÉM PODE FECHAR".

— Jesus deixa sempre a porta aberta diante de todos nós e nos aconselha que não percamos a nossa coroa, quer dizer, a confiança que Ele tem naqueles que perseveram. Essa porta aberta é o Cristo de Deus nos dando oportunidades para vencermos os desafios da vida. Sabia disso, Hayato?

— Dona Lola, sei que Deus só quer nos ver felizes. Então, não quer a nossa derrota. Certa vez, eu estava desempregado e passando muitas dificuldades com minha família, mas fiquei firme e confiante, fazendo minhas orações e buscando novas oportunidades de trabalho. E, graças à Proteção Divina, um amigo me ofereceu um emprego na loja dele, e a Paz voltou ao meu lar.

— Parabéns! E essa foi uma porta aberta por Jesus que fortaleceu você naquele momento difícil, não é mesmo, Hayato?! Por isso, conseguiu seguir em frente sem desanimar.

— A porta que você está falando, vovó, é secreta ou é a da minha casa?

— Boa pergunta, Yuri! Há lugares que não conseguimos entrar, porque a porta está fechada. Jesus utilizou o exemplo de uma porta aberta para entendermos que não há barreiras entre Ele e cada um de nós. Ele está sempre por perto!

— E é bom saber disso, porque nos ajuda a perseverar sempre! — destaca Hayato.

— Foi como aconteceu comigo — Sarita recorda. — Eu perseverei e fiquei feliz na nova escola.

— Crianças, ajudem-me a lembrar: o que representam as Igrejas da Ásia mesmo?

Marque com um X a resposta certa sobre
o significado das Igrejas da Ásia
(   ) Templos
(   ) Comunidades
(   ) Pessoas
(   ) Ações
(   ) Todas as alternativas juntas

— Isso mesmo, "Todas as alternativas juntas" é a resposta certa, pois cada pessoa no mundo se encontra em situação semelhante a uma dessas Igrejas, conforme suas ações! E é bom que estejamos na Igreja em Filadélfia, porque significa o Amor Fraterno. Ela reúne os perseverantes em Jesus, que se preparam para a Sua Volta Triunfal.

— Eu agradeço a Deus, dona Lola, e procuro levar o sentimento de gratidão a todos os meus colegas de trabalho.

— É o que Jesus espera de nós! Parabéns, Hayato! E assim chegamos à leitura do último cartão. Que tal fazermos uma pausa para um lanchinho?

— Oba, eu já estava até com fome, vovó! — alegra-se Juju.

Após a pausa rápida, com todos já satisfeitos, dona Lola retoma a conversa perguntando:

— Nós estávamos com fome, certo?! E o que foi que fizemos?

— Buscamos na cozinha o lanche — se apressa em responder Sarita.

— Quando estou com fome, na hora do almoço, fico ansioso pra comer logo, não é, mamãe? — diz Yuri, provocando um sorriso no rosto de Naomi.

— Sim, meu filho, e de barriguinha cheia fica todo feliz!

— Então, Naomi, vamos para o cartão de Laodiceia que tem tudo a ver com o que estamos falando, só que dessa vez é a alimentação espiritual.

CARTA DE JESUS À IGREJA EM LAODICEIA

(APOCALIPSE, 3:14 A 22)

"EIS QUE ESTOU À PORTA E BATO; SE ALGUÉM OUVIR A MINHA VOZ E ABRI-LA PARA MIM, ENTRAREI EM SUA CASA E CEAREI COM ELE, E ELE, COMIGO."

— Naomi, você já ouviu dizer que Jesus é o Pão da Vida?

— Já, sim, dona Lola. Ele diz: *"Eu sou o Pão da Vida"**, e eu entendo que não é aquele pão que, no dia a dia, faz parte da nossa alimentação, mas são os Seus ensinamentos que fazem bem para o nosso coração, alimentam a nossa Alma.

— Isso mesmo, Naomi! Agora, imaginem uma pessoa com uma tristeza no coração por um motivo qualquer, mas, de repente, ela se lembra de Jesus e faz uma prece... Com esse gesto sincero, está abrindo a porta do coração e deixando o Cristo entrar, se alimentando dos Seus exemplos de Fé, Perseverança, Humildade!

— Ué, não entendi, vovó, como assim a porta estava aberta e agora está fechada?

* Evangelho de Jesus, segundo João, 6:35.

— Vamos lá, Luizinha, na Igreja em Filadélfia, a porta está aberta, e ninguém pode fechá-la, representando que sempre podemos ir ao encontro de Jesus. Por outro lado, na Igreja em Laodiceia, ela está fechada, pois fomos nós que a fechamos. Cabe a nós abri-la para que Jesus possa entrar, já que Ele respeita nossas escolhas. Laodiceia representa a Igreja do julgamento final da humanidade.

— Vai ser igual ao que vemos na TV, as pessoas sendo julgadas por um juiz?

— Não, Juju. Será um momento em que cada um estará diante de Deus e será julgado pelas suas próprias obras.

Naomi, com um semblante de felicidade, se expressa:

— Como é bom sabermos do grande Amor que Jesus tem por todos nós! Obrigada, dona Lola, por compartilhar tão lindo aprendizado com as crianças!

— É uma satisfação para mim, Naomi. Hoje, vimos apenas alguns pontos das Cartas de Jesus às Igrejas da Ásia. Num próximo encontro, vamos falar sobre o material que o povo daquela época usava para escrever cartas.

— E quanta coisa aprendemos hoje, não é mesmo? — diz Naomi, sorrindo.

A vovó concorda com a vizinha, percebendo que já estava tarde e próximo da hora de as crianças dormirem. Deseja uma boa-noite a todos e se despede dos queridos vizinhos. Em seguida, ela prepara os netinhos para dormir, dizendo:

— Deus Está Presente! Bom descanso, crianças!

— Viva Jesus em nossos corações para sempre! Boa noite, vovó! — respondem eles.

— Não se esqueça de fazer a prece, vovó!

— Pode deixar, Juju! Vou abrir a porta do meu coração e falar com Deus em uma prece.

O QUE APRENDEMOS HOJE:

* Jesus conhece a todos e, por isso, faz questão de elogiar a parte boa que as pessoas têm no coração, orientando-as sobre o que precisam melhorar.

* Acerca dos importantes símbolos e lições que aprendemos com Jesus, devemos a todo instante lembrar que:

• Precisamos perseverar e confiar sempre em Jesus, que nos ajuda a não temer os desafios.

• A Primeira Caridade representa as lições de Deus e a disposição que temos em praticá-las no nosso dia a dia, o que nos deixa muito felizes!

• O alimento espiritual que precisamos para o nosso Espírito vem do Cristo por meio da Fé Realizante, que nos ensina a orar e praticar o Bem.

• Jesus está sempre à porta pronto para nos ajudar e confortar o nosso coração!

RECORTE OS CARTÕES E VOLTE À PÁGINA 14 PARA CONTINUAR A HISTÓRIA.

CARTA DE JESUS À IGREJA EM ÉFESO

(APOCALIPSE, 2:1 A 7)

JESUS AFIRMA QUE A COMUNIDADE DE ÉFESO TEM PERSEVERANÇA E PEDE QUE ELA NÃO ABANDONE A PRIMEIRA CARIDADE.

CARTA DE JESUS À IGREJA EM ESMIRNA

(APOCALIPSE, 2:8 A 11)

JESUS PEDE ÀQUELA COMUNIDADE QUE NÃO TEMA O SOFRIMENTO E PROMETE: "SÊ FIEL ATÉ À MORTE, E EU TE DAREI A COROA DA VIDA".

CARTA DE JESUS À IGREJA EM PÉRGAMO

(APOCALIPSE, 2:12 A 17)

JESUS PEDE QUE AS PESSOAS SE ARREPENDAM DAS MÁS OBRAS. DIZ JESUS: "AO VENCEDOR EU DAREI DO MANÁ ESCONDIDO, BEM COMO UMA PEDRINHA BRANCA, E SOBRE ELA ESCRITO UM NOME NOVO, QUE NINGUÉM CONHECE, EXCETO AQUELE QUE O RECEBE".

CARTA DE JESUS À IGREJA EM TIATIRA

(APOCALIPSE, 2:18 A 29)

JESUS NOS ENSINA A NÃO SEGUIR O QUE ESTÁ ERRADO. DIZ O CRISTO: "CONHEÇO AS TUAS OBRAS, O TEU AMOR, A TUA FÉ (...)".

CARTA DE JESUS À IGREJA EM SARDES

(APOCALIPSE, 3:1 A 6)

DIZ O CRISTO: "TENS A REPUTAÇÃO DE QUE ESTÁS VIVO; ENTRETANTO, ESTÁS MORTO. (...) SÊ VIGILANTE...".

CARTA DE JESUS À IGREJA EM FILADÉLFIA

(APOCALIPSE, 3:7 A 13)

DIZ JESUS: "EIS QUE TENHO POSTO DIANTE DE TI UMA PORTA ABERTA, A QUAL NINGUÉM PODE FECHAR".

CARTA DE JESUS À IGREJA EM LAODICEIA

(APOCALIPSE, 3:14 A 22)

"EIS QUE ESTOU À PORTA E BATO; SE ALGUÉM OUVIR A MINHA VOZ E ABRI-LA PARA MIM, ENTRAREI EM SUA CASA E CEAREI COM ELE, E ELE, COMIGO."

1

3

2

5

4

7

6

CADERNO DE ATIVIDADES

PENSANDO EM LEVAR ALEGRIA AOS CORAÇÕES DAS PESSOAS, AQUI VAI UMA SUGESTÃO: BRINCAR DE AMIGO SECRETO.

1- Anote, em papeizinhos, o nome de quem estiver presente no momento.

2- Cada pessoa retira um papel, lê, mas não revela o nome.

3- Escreva uma carta ou faça um desenho para aquela pessoa que tirou.

4- Quando todos terminarem, sentados, em círculo, decidam quem será o primeiro a revelar.

5- O primeiro fica em pé, lê a carta e a entrega para quem escreveu.

DECIFRE O CÓDIGO

DESCUBRA OS 7 ERROS

VAMOS COLORIR?

AJUDE O YURI A ENCONTRAR SEU CARTÃO

RESPOSTAS

Respostas da página 41:

Decifre o código
Resposta: JESUS VIVE EM MEU CORAÇÃO!

Descubra os 7 erros

Resposta da página 43:

Ajude o Yuri a encontrar seu cartão
Resposta: 1.

Jesus, o Cristo Ecumênico, o Divino Estadista

Aos pais, responsáveis e educadores, apresentamos este conceito criado pelo Presidente-Pregador da Religião de Deus, do Cristo e do Espírito Santo, José de Paiva Netto, durante histórica entrevista que concedeu, em 1989, ao produtor de documentários da TV polonesa, na época Vice-Presidente da Associação Universal de Esperanto, jornalista Roman Dobrzyński. Na ocasião, Roman, analisando a missão do Templo da Boa Vontade (TBV), o Templo do Ecumenismo Divino, que Paiva Netto inauguraria no dia 21 de outubro daquele ano, em Brasília/DF, Brasil, arguiu o dirigente da Religião do Amor Universal sobre como podia pregar o Ecumenismo Irrestrito falando em Jesus. Paiva Netto, então, discorreu acerca do tema, resumindo décadas de pregação dele a respeito de assunto tão fundamental da doutrina da Religião do Terceiro Milênio: *"Uma das grandes tarefas da Religião de Deus, do Cristo e do Espírito Santo, meu caro Roman, é dessectarizá-Lo, pois Jesus é o Cristo Ecumênico, portanto universal. (...) O Divino Mestre **não é limitado**. Ele é o Ideal Celeste de Humanidade, Amor, Solidariedade, Justiça e Compaixão para todos os seres espirituais e humanos. **Jesus é uma conquista diária para os que têm sede de Saber, de Misericórdia, de Fraternidade, de Generosidade, de Liberdade e Igualdade, segundo a Lei Universal da Reencarnação. Jesus, em Si mesmo, não constitui fator de rancores e guerras.** Pregou, com o Seu Novo Mandamento* — 'Amai-vos como Eu vos amei. Somente assim podereis ser reconhecidos como meus discípulos' *(Evangelho, segundo João, 13:34 e 35)* —, *o Amor elevado à enésima potência. O que as criaturas terrenas fizeram com a Sua Mensagem é criação reducionista delas (...). Revelar o excelso significado do Seu Evangelho e do Seu Apocalipse, sem odiosa intolerância, ou seja, em Espírito e Verdade, à luz do Seu Novo Mandamento de Amor Fraternal, é um destacado serviço que a Religião de Deus, do Cristo e do Espírito Santo está prestando à sociedade do mundo (...)"*. Cabe destacar que Roman se tornou admirador e divulgador desse Ideal de Boa Vontade, constantemente encaminhando à Religião do Amor Universal histórias e experiências vivenciadas quando de suas palestras e aulas em diversos lugares do globo, entre estas as ministradas na Universidade de Pequim, na China.

Querido Soldadinho de Deus, estamos muito interessados em saber o que você achou desta história e o que aprendeu com ela. Peça para a mamãe, o papai ou o seu responsável para compartilhar suas ideias ou dúvidas sobre o Apocalipse conosco! Eles podem enviar esta página para a Rua Doraci, 90 — Bom Retiro — São Paulo/SP — CEP 01134-050. Ou, se for mais fácil, é só tirar uma foto e encaminhá-la para o nosso *e-mail:* editora@elevacao.com.br. Estamos aguardando sua participação!

Nome:
Idade:
Cidade:

Soldadinhos de Deus

LBV